Tom-Tom et Nana

Méga-farces et mini-gaffes

Scénarios : Jacqueline Cohen et Evelyne Reberg
Dessins : Bernadette Després
Couleurs : Catherine Viansson-Ponté,
Virgine Péchard et Rémi Chaurand

bayard jeunesse

Le meilleur de Tom-Tom et Nana

Méga-farces et mini-gaffes

Des farces au menu 5
Bonne pêche ! 15
Un joyeux dimanche 25
Abracadabra 35
Le miroir magique 45
Le fantôme de Roupillon 55
Drôle d'odeur 65
La fête aux frissons 75
Monstre d'avril 85
Amélie chérie 95
Sondage toutou 105
La mallette au trésor 111
Vite fait, bien fait 121
Le poison rouge 131
La frite qui pique 141
Danger, rigolade ! 151

Des farces au menu

Des farces au menu

Des farces au menu

Des farces au menu

Des farces au menu

Des farces au menu

Des farces au menu

FLOOOSH!
BOUM!
Mon Dieu! C'est la fin des haricots!
BANG!
POP!
PHSHIiiiiii!!
PING!
DRRIiiiiiiN!
PLOP!
Aïe!
PAF!
PRRRTT!
DZiiiNG!
Vous l'avez dit, c'est la fin des haricots!
J'ordonne la fermeture immédiate de ce restaurant!

Des farces au menu

...Alors, poisson d'avril!
Oh! Monsieur Henri, c'était vous!
Quel soulagement!
Là, vous nous avez bien eus!
Vous êtes vraiment fort!
Bing!
Qu'est-ce que j'avais dit? Pour les farces, je suis super-doué!
Oh! Faut rien exagérer!
Banane!
FIN
159.10

Bonne pêche !

SOCIÉTÉ Rigolo et Lilo FARCES et ATTRAPES
Si on avait ça, on ferait un malheur !
Viiite ! On va demander des sous !
EN PROMOTION POUR le 1er avril
FAUX FROMAGE avec asticots HILARANT !
POIL A GRATTER POILANT
MOUCHES A SOUPE EXTRA 1F
3F
BOULES PUANTES
BONBONS AU POIVRE
SUCCÈS GARANTI !
POUDRE A ÉTERNUER
TCHOUM
15F
COUSSIN PÉTEUR
VERRES BAVEURS

Bonne pêche !

Ils voudront jamais...
Suffit de les ensorceler ! Fais comme moi !

Papounet chéri de mon cœur !
?!?
Smack ! Smack !

Mamounette adorée...
?!?
Smack ! Smack !

Vous, vous avez quelque chose à nous réclamer !

Ben... euh... un peu d'argent de poche !
Et pour quoi faire ?
Acheter des bêtises encore !

Bonne pêche !

Mais non! Des trucs chouettes, des surprises pour vous faire rigoler! C'est le 1er avril!
Alors là, pas question!
PLOUF!

Tant pis! On va travailler!
Trier les ordures!

Ou bien laver les cailloux!
PFFF!

On nous donnera peut-être quelques sous!

Tenez! Vous avez un boulot tout trouvé: ramasser les crottes!...
Quoi?!?
HALTE AUX CROTTES DE CHIENS!
PITIE! Ramassez-les!!

Ha! Ha! Je vous paierai, promis!

Un peu plus tard...
On y va !
Où ça ?
Décrotter, pardi !

Attendez, je plaisantais !
Pas nous !

C'est du cinéma !... Ils n'oseront jamais !
Vous allez voir !

Au boulot !
Ça va être atroce !

Mmm... Rien à l'horizon pour l'instant !

Bonne pêche !

Si seulement les voitures faisaient des crottes !

Ah ! On tient une piste !

Zut !
Quelle déception !
?!?

Bizarres, ces deux-là...

Alerte !! Un trésor ... là-bas !
Waouh ! Superbe !

Bonne pêche !

A toi de jouer !

Non, à toi !

Toi !! Allez, un peu de courage !

Ça me dégoûte !

Je vais **vobir** !
Ferme les yeux, je te guide !

Un peu à gauche...

Tout droit... C'est bon...

... Tu l'as !!

Bonne pêche !

Celle-là, elle va **dous** rappor**der** gros !

Vide, on va leur **bondrer** !

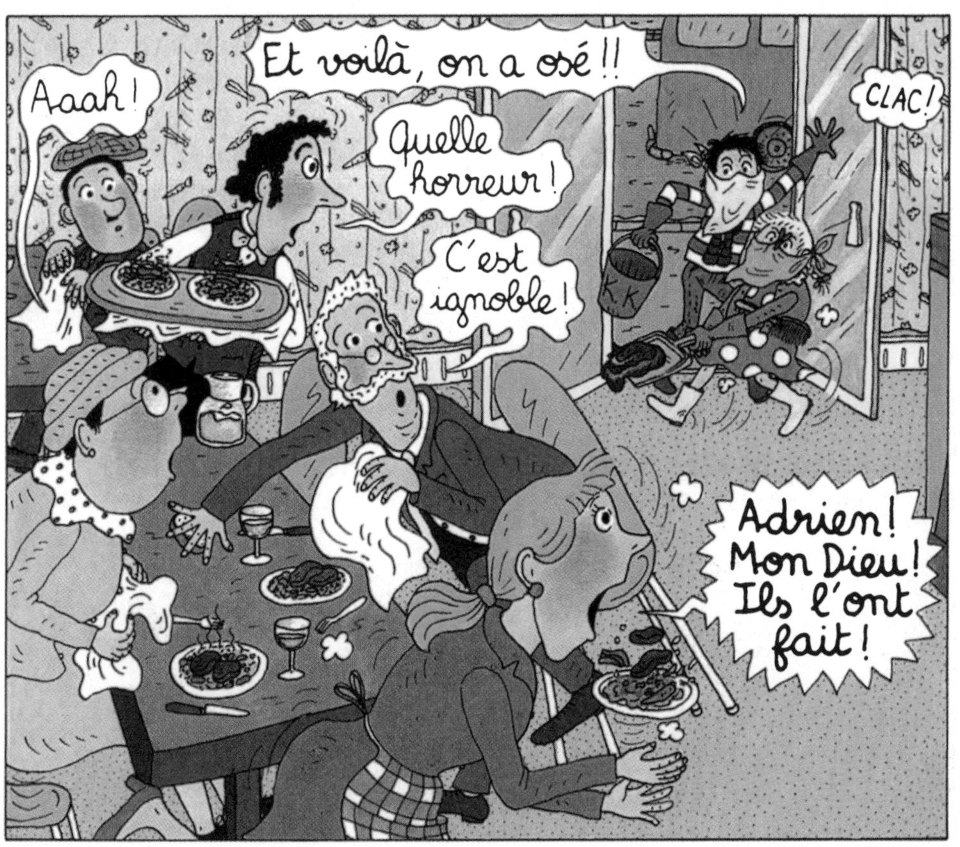
Et voilà, on a osé !!
Aaah !
CLAC !
Quelle horreur !
C'est ignoble !
Adrien ! Mon Dieu ! Ils l'ont fait !

Bonne pêche !

Vous êtes malades ! En plein repas !
Mais papou, c'est toi qui as dit que...

Taisez-vous, monstres ! Et sortez !
Tu nous as promis des sous !

Des coups de pied au derrière, voilà ce que vous méritez !
C'est révoltant !

Bonne pêche !

Vite, Yvonne ! Metz-les dehors !

Oh... Madame Mochu ?!?

Figurez-vous que j'ai perdu mon...

Le voilà !!!

Vous l'avez trouvé, les enfants !
Quel miracle !

Bonne pêche !

C'est du vison bouilli ! Il m'a coûté une fortune !!
?!?

Ça mérite une belle récompense !... Tenez !
Oh !
On est riches !

Comment vous le trouvez, mon chapeau mode ?
Hi, hi !
Génial !
Pfff !
Ho ! Ho !
Ha ! Ha !

FARCE
A nous de rigoler !
On va dévaliser la boutique !
FIN

Un joyeux dimanche.

Un joyeux dimanche.

Un joyeux dimanche.

Un joyeux dimanche.

Un joyeux dimanche.

Un joyeux dimanche.

Un joyeux dimanche.

Un joyeux dimanche.

Un joyeux dimanche.

Un joyeux dimanche.

Tom-Tom ! Nana ! Montrez-vous, qu'on s'explique !

Ecoute ! Du calme, Adrien ! Ouvrons d'abord nos cadeaux !

Des cigares !
Du parfum ! Quelle jolie boîte !

PAFF !
BONG !

Regardez ce qu'on a trouvé !
93.10

Ça alors !

Monsieur RECHIGNOU
représentant en
Farces et Attrapes
Maison RIGOLO & Fils
Fondée en 1932
FIN

Abracadabra

Donnez vos salades, vos carottes!

Tiens, des radis!
Oh, non! NON!
S.O.S. Lapins

Laissez les gens manger tranquilles!!
Mais...
Euh...

Nos lapins adorent la cuisine de papa!...

Quoi?!? Encore ces fichus lapins!!!

230-2

Mais qui mettra fin à ce cauchemar? QUI??
Batman! Zoé!
Dorothée!

Salut la compagnie! Je me présente: Jess Camote, magicien professionnel...
?!?

230-3

Abracadabra

Allez, laissez-le faire! Ça vous changera les idées!

230-4

Abracadabra

230.5

Abracadabra

230·6

Prenez plutôt ma soeur!
Ou mon frère!
S.O.S. Lapins

Taisez-vous! Vous préférez qu'on les mange?!
S.O.S. Lapins

Dix lapins... Ça va être difficile! Très difficile!

Etes-vous tous prêts à m'aider?
OOUiiiiii!
NON!
S.O.S. Lapins

Il faut que tout le monde soit d'accord...
Sortez, les enfants!
PING!
S.O.S. Lapins

J'espère qu'il va tout rater!
CLAC!
S.O.S. Lapins

230.7

Abracadabra

Mes amis, concentrons-nous tous ensemble!

Mettez vos mains sur la tête! Fermez les yeux!

Et répétez après moi:
"Lapins, disparaissez"!

Lapins, disparaissez!
Lapins...
Lapins...
Lapins...
Disparaissez!...

Lentement s'il vous plaît! ...120 fois!

LA-PINS-DIS-PA-RAI-SSEZ!
Dites-le bien fort! Encore!... **Encore**!...

230-B

LA-PINS-DIS-PA-RAI-SSEZ ! LA-PINS-DIS-PA...
On en est à 99 !
Hé ! C'est pas fini ?
Qu'est-ce que vous faites ?
Lapins
Lapins

Il est parti, Jess Camoté !
Nul, ce magicien ! Il n'a rien fait disparaître !
S.O.S. Lapins
S.O.S. Lapins

Rien ??
Mais si ! Si !...
Quelle horreur !

230.9

Mon porte-monnaie!
Mes boucles d'oreilles!
Mes sous!
Mon sac!!
Il a vidé la caisse!!
Oh, le bandit!

Il nous a tout pris!
En tout cas, nos lapins sont tous là!
Il nous a même laissé le sien!... Merci Jess Camote!
FIN

230-10

Le miroir magique

Que je suis beau!
Oh, le monstre!

Et moi, regarde!
Ah! Ah!

Et quand je le mets comme ça!
Oh! Tu me fais peur!

On pourrait faire des farces avec ce truc-là!
Oui, mais à qui?

Sniff
CHANTIER
118.2

Le miroir magique

Le miroir magique

Ma pauvre Nana, j'ai fait une catastrophe!
Oh non!
TING!
Regarde-toi dans le miroir!
Mais... c'est formidable!
Graou! gare à la monstresse!
BOUM!
BOUM!
A l'assaut! Je vais ratatiner Alexandre et sa bande!
BOUM!
Mon Dieu, la pauvre!
BOUM!
Il ne faut pas la perdre de vue!
118-5

Oh! Là! Là! Qu'est-ce qui lui prend?
GRAAAH!!
HIC!
WAFF!
LES ÎLES
Ramenez-moi mon chien, espèces d'empotés!
GRRRR!
WAFF!
TACADAP!
TACADAP!
Euh...
Dis-donc, c'est qu'elle se prend vraiment pour un monstre!
CLAC!
CLAC!
J'en parlerai à vos parents! Vous n'y couperez pas!
Sniff!
Elle est là-bas!

Nana!
Nana!
Mais!
Qu'est-ce que...
oh!
PAFF!
ouin!
WAOU!
PAFF!
BING!
gling!
PAFF!
GLONG!
BING!
Mon journal!
Vous n'avez pas honte de vous attaquer aux bébés!
Petits voyous, va!
118-7

Nana! Misère, le feu est vert!
Elle va se faire écraser!
graou!!
DZING!
BOUM!
BONG!
BOUM!
CRRiiiii...
CRRiiii...
grrr!
118-8

Monstres ! Sales gosses ! Vous ne pouvez pas surveiller cette petite !
HA ! HA ! Alexandre ! Je vais te réduire en purée !
Elle va se faire massacrer !
BING !
BANG !
HO !
GRRR !!
PAFF !
Aïe !
PLOF !

Bouh! Elle m'a fait saigner!!!
Espèce de gorille!
Ouf! Elle est vivante!
Blurp!
PIF!
PAF!
PIF!
Nana! C'est pas vrai! Tu n'es pas un monstre!
C'est notre miroir qui t'a déformée!
Mais, je le savais bécassons! Pour qui vous me prenez?
FIN

Le fantôme de Roupillon

Tu l'as oubliée à la maison !
Mets ton pyjama neuf, et tais-toi !
N'oubliez pas vos chaussons anti-bruit
Interdit de ronfler après 20h
Tu parles d'un pyjama ! C'est un piège à rat !!
Chut !
Il me boudine il me gratte !
Chut !
Aïe ! En plus, il m' électrocute !
Pension Roupillon
Médaille d'or du SILENCE
Tais-toi et dors !
Heureusement que je suis là !
Oh !

223-2

Je l'ai, moi, sa chemise de nuit chérie !
Médaille d'or du SILENCE

Maman l'avait jetée pour en faire des chiffons !
Hé !... J'ai une idée géniale !
du SILENCE

On va lui faire une surprise à notre papounet !
Oh oui !

Il va être fou de joie !
Le pauvre !
CLIC ! CLIC !

RRR...
Chut !
CLIC ! CLIC !

223-3

Clic!
Clic!
Adrien...
Tu entends ?!
Interdit de ronfler après 20h
RRron...
Aaaaargh!
Adrien! Réveille-toi!
Mmm... chut!
Il y a un fantôme!! Un revenant!
Hein ?!
Une horreur sans tête!!
223-4

Qu'est-ce qui se passe ?!
Un fantôme ?!
Où ça ?
Hein ?!
RRR...
PENSION ROUPILLON
ouin !
Là ! Là !

Attrape-le, Adrien !
Vas-y toi-même !

223 5

Zut ! C'est coincé !
Mais tire ! Tire !

CRAC !
Sale bête !

PLOUF !

Ça bouge, là-bas !
Ils sont plusieurs !
Je vois des yeux qui brillent !
C'est le chat !

J'ai peur, Tom-Tom !...
C'est pas le moment !

Faut cacher cette chemise !

223-6

On n'a qu'à la noyer!

Bon débarras!
PLOOF!

Ils vont bien se décider à rentrer...

Quand je pense qu'on est ici pour se reposer!
Chut!

Quel scandale!
Allez, bonne nuit, tout de même!

Ouf!... Sauvés!

223-7

Le lendemain matin...
Je n'ai pas fermé l'oeil de la nuit!
Moi non plus!
Je vous assure, il n'y a jamais eu de fantôme chez Roupillon!
Pourtant je l'ai vu!
Il est entré en secouant ses chaînes...
Clic! Clic! Clic!
PAF!
Il voletait au-dessus du lit, comme ça!
Voyons Yvonne!
Il m'a frôlé le nez!
Du calme!

(223.8)

Ma femme a beaucoup d'imagination!
On dirait...
Hum...
Pas vrai les enfants?
Oh, oui papa!
Oublions tout ça, les amis! Allons à la pêche!
Il n'y a rien de tel pour se calmer les nerfs!
ROUPILL
223-9

Je l'ai vu, je te jure...
Ça suffit avec ton fant...

Aaaaah!

C'est lui!!
Euh... On le dit?
Ou on le dit pas??
Au secours!
Le fan... fan... fanfan...
FIN

223.10

Drôle d'odeur

Drôle d'odeur

Oh!! Il ne fallait pas vous décarcasser pour moi comme ça!
Euh... Mais...
Non, non!

Cette table n'est pas pour vous!

Votre place est là-bas comme d'habitude!
Oh!

Ah, je vois! Vous attendez cet affreux, ce snobinard, ce pantin de...

Chut!
Le voilà!
...Rech...mff!

152-2

Drôle d'odeur

Bonjour monsieur Rechignou !

Il vient une fois tous les 36 du mois et il a droit à tous les égards !
Ça me dégoûte !

Alors, tout se passe bien ? Il est content ?
Oui, oui ! Tout est parfait !
Maman, maman !..

...Il y a une odeur bizarre !
Oh, misère !
Sniff !... Mais... C'est vrai !!

(152-3)

Drôle d'odeur

Ça vient peut-être de ce truc en coquillages qu'on a remonté de la cave!
Je vais l'enlever!
Euh... excusez-moi!
Qu'est-ce qui se passe?
Rien, rien... J'ai vu un grain de poussière!
Mmmmm...

PLOF!
Sniff!
Ça continue! Heureusement qu'il ne s'aperçoit de rien!
Ça vient peut-être des fleurs?
152-4

Drôle d'odeur

Drôle d'odeur

Drôle d'odeur

Drôle d'odeur

Drôle d'odeur

Drôle d'odeur

Merci pour ce **merveilleux** repas!...
... Au fait, j'ai un cadeau pour les enfants!
Vous savez que je travaille chez "Rigolo et fils", la fabrique de farces et attrapes?
Mmm... moui!!!
Voici donc notre dernière création: les boules **Super-puantes**!!
Oh! Il y en a plusieurs de crevées!
J'espère que l'odeur ne vous a pas trop gênés?
FIN
152·10

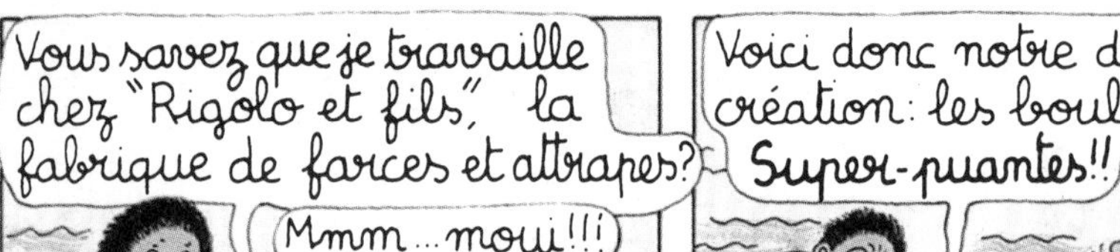

La fête aux frissons

Veux-tu rentrer à la maison!
Pas question!

Maman m'a permis de venir!
Tu es trop petite, voyons!

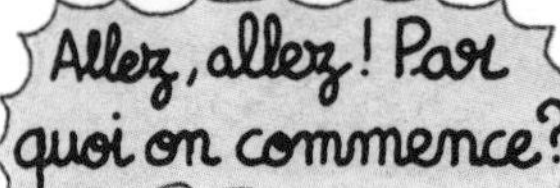
Allez, allez! Par quoi on commence?

On va se traîner cette pleurnicharde?!
T'inquiète pas, je vais la dégoûter...

Tiens, essaie un peu le train fantôme!

TERROR PALACE

Et c'est parti!... De l'effroi! Des frissons garantis!!
Aïe!
HOUOUOUUUU!
CRAC!
CAISSE
Au secours!
Maman!
BOUM!
Hi, hi! Ce gros bébé va faire pipi dans sa culotte...
... et filer aussi sec chez sa mère!!

YAOUH!!!
???

C'était génial, les gars!... A mourir de rire!!
On va la coller dans le Tentacula!...

183.3

AAAAAAAH!
La pauvre!... On exagère!
Faudra la ramener sur un brancard!
Amateurs de sensations, prenez vos billets!!
TENTACULA
CAISSE
Tu la vois?
Elle doit être en train de vomir...

WAOUH! C'était super! J'en ferais bien dix tours encore!
CAISSE
Oh, non!
Quelle dure à cuire!

183.4

La fête aux frissons

Si on allait au tourbillon de la mort ?!
Non ! J'ai une meilleure idée...
BOUM !

Ça, ça va l'achever !
Madame Irma
MAGIE NOIRE
MAGIE BLANCHE

Allez, zou !... Chez madame Irma !

Dis donc, c'est long !
Ça commence à m'inquiéter !

Madame Irma
MAGIE NOIRE
MAGIE BLANCHE
CHANCE ! Bonheur !
MALHEUR !!
C'est tout noir là-dedans !
On... on dirait... une sorcière !

183-5

Nana?... Nana!?
MAGIE NOIRE

WAFF!
Elle... elle l'a transformée en chien!!!

Pas possible!
C'est toi, Nana...??
WAFF!

C'est elle, je te jure, ça lui ressemble!
WAFF!

Aaah! Elle me mord!
Tu vois! Ça ne trompe pas, c'est elle!!!

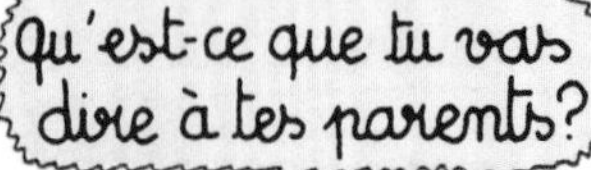
Qu'est-ce que tu vas dire à tes parents?

183-6

Lâche-moi!
Veux-tu laisser ton frère!

Psst! Viens par ici, ma poulette!!
WAF!

Que faites-vous là, les enfants?
Je... je... j'attends ma soeur!
La petite blonde?

Elle est partie depuis longtemps!...
Slurp!
Slurp!

... Par là, derrière évidemment!
SORTIE
ENTRÉE

En fait, elle était nulle cette magicienne!
Oui... et maintenant on a perdu ma soeur!

183-7

Les parents vont me massacrer !
Pff ! Dire qu'on était partis pour s'amuser...
BOUM !

Mais... c'est elle, là-bas !
POUM !

Vite, elle va tuer quelqu'un !
CLIC ! CLIC !
POUET !

?
Oh, pardon ! Je...
Voyous !
Aïe !

Tiens, ça t'apprendra !
PAF !

Écoute ça !!
Une fillette avec des couettes attend ses parents au...
POSTE DE

Nana!
J'arrive!!
POSTE DE SECOURS
Ouin!
Papa!
4

Prenez-la vite!
Euh... Il y a erreur!!!
Ce n'est pas la nôtre!
4

Allons voir ailleurs!
J'ai du chocolat partout!

Elle n'est pas à la Grande Roue, ni au Katapult, ni...
On est foutus!

A LA BONNE
Va falloir tout avouer...
... Prévenir la police!

183·9

?!?
Vous voilà !!! Regardez, je suis passée par la loterie !

Madame Irma m'a donné un porte-bonheur extra !
Je n'ai pas arrêté de gagner !

Ah, ce qu'on a bien rigolé !!! On y retourne demain,
hein, promis, juré, craché !
FIN

183-10

Monstre d'avril

Eh oui! On change de film... Finie, cette pub!

Je peux en prendre un?
Moi aussi?

Servez-vous!
Génial!
Hi! Hi! Je vais m'en faire un lampadaire!

Smack! Mon mignon Vorax!

Aidez-moi!! On l'emmène à l'école!
Non mais, t'es fou!
Ça va pas, la tête!

255-2

Monstre d'avril

Tu veux qu'on ait un million de lignes à copier?
Qu'on soit privés de récré jusqu'à la fin de nos jours?

Bande d'idiots! On est le 1er avril...

Ça nous fera une méga giga farce!
?
?!

Imagine un peu! Vorax le premier de la classe...
Ah...

La tête du maître!
Ouais!
Super!

Monstre d'avril

255-4

Ça va, elle n'y verra que du feu!
Prenez l'air naturel!
?

Bonjour madame!
??

Hé! Qui c'est ce zozo?
Euh... C'est un nouveau!

Il... il a la trouille!
Il se sent mal!

On l'emmène à l'infirmerie!
Hum, hum! Pauvre chou!

Faut le déshabiller!!
NOOON!

255-5

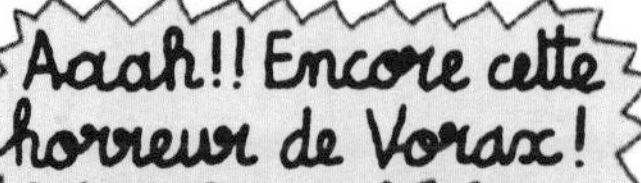
Aaah!! Encore cette horreur de Vorax!

Les autocollants, les badges, les images, ça ne vous suffit pas?

Dehors!! C'est une école ici, pas un cinéma!

Et ne laissez pas ce machin traîner sur le trottoir, compris?
Oui, oui...
Pas la peine de s'énerver!

235-6

Monstre d'avril

255.7

Monstre d'avril

(255.B)

Monstre d'avril

Monstre d'avril

256.10

Amélie chérie

C'est qui, cette Amélie?
Ben... Une nouvelle copine! Je crois qu'elle habite chez Rémi Lepoivre!

Les enfants l'adorent!

Depuis qu'ils vont la voir...
CLIC!
CLAC!

...ils ne regardent même plus la télé!
Epatant, non?

Ohé! Vous venez chez moi voir Amélie!
Oui, oui!
PANG!

212-2

En avant !
Hourra !
Vive
Hé ! Attendez !

Une petite seconde !
???

Tenez ! C'est pour vous et votre copine adorée !
Chic !

À LA BONNE FOURCHETTE
On peut rentrer un peu tard, papa ?
Bien sûr, si les Lepoivre sont d'accord !

212.3

Deux heures après...
Alors, c'était bien ?
Oh, oui ! Amélie était géniale aujourd'hui !

Elle a chanté ! Elle nous a raconté des histoires...
Ah ?

Une histoire d'assassin ! J'étais morte de trouille !

...Déjà qu'il fait noir dans la cave !...
Dans la cave ?!?
Hé !
PING !

212-4

Oui... ben... parce que dans le noir, euh... elle brille...
...euh... elle marche...
Arrête de dire des bêtises !
Mmmpf !
????
... Et viens te coucher !
Espèce de crétine, tu nous as trahis !
Mais non, j'ai rien dit, je t'assure !
212-5

Le lendemain...
Oh, madame Lepoivre!
LA FORME

Alors, votre Amélie, comment va-t-elle?
Amélie?... Quelle Amélie??

Ben... la petite qui... qui joue dans votre cave!
Hein?

Catastrophe!
Dans ma cave, il n'y a que la chaudière...

212-6

C'est tout sale, et on n'y va jamais!
Alerte!
Vite! Vite!

On est découverts!
Il faut déménager Amélie!
Hein?
Encore?
Quoi?

Notre Amélie!
Sans elle, on est fichus!

212-7

...Et hop! Dans son carrosse!

Sous la couverture!

PFOOUU! C'est lourd!

On va la mettre chez moi, dans le grenier!
Vite! On va rater le feuilleton!...

212-B

VOTEZ
C'est ici !
On va en avoir le coeur net !

Personne... Vous voyez !
CLIC !
Et là, cette vieille poupée ?

Mais bien sûr ! C'est elle, Amélie !
Ah, je vous jure !
Quels farceurs, ces gosses !

212-8

Pendant ce temps, dans le grenier de Sophie...
3... 2... 1... zéro ! Je branche Amélie !

Elle marche, notre télé chérie !
Ça commence !
Chouette !
FIN

212-10

Sondage toutou

Sondage toutou

Pompiers
SAMU
CLAC!

À nous l'engin!
C'est moi qui dis le numéro, hein!

Vas-y, donne tes chiffres!
Pompiers
SAMU
Euh... 5, 5, 6, 4, 2...
S.O.S Plombier

... 1, 27, 40, 8, 0, 3 ...
Arrêêête!
Tic, tic, tic!
SAMU
S.O.S Plombier

Le numéro que vous demandez n'est pas attribué...
Pompiers
SAMU
S.O.S Plombier

Ça marche pas!... Un autre numéro!
CLAC!
0, 0, 8, 6, 2, 1, 0, 7, 9, 2, 4, 12...

Sondage toutou

Sondage toutou

Sondage toutou

Ah, te voilà !
Alors, on fait des blagues au téléphone ?!
Oh ! le maître !... C'était son numéro !

Non, c'est pas moi...
Tu crois que je n'ai pas reconnu ta voix ?

Tu me conjugueras 100 fois et à tous les temps "J'ai du Canigou dans le caillou" !
?!
FIN

La mallette au trésor

Ma fortune est là-dedans... C'est de l'or, cette mallette !
Allons, sous la table, mon pauvre Poupou maltraité !

Je vais la ranger, monsieur Rechignou !
Donne ! Donne ! Nous, on est des spécialistes...
179.2

Des spécialistes de la pagaille ! Ça, oui !
Pfff ! Quelle injustice !

Ici, elle ne risque rien !

Tu parles ! N'importe qui peut la prendre !
Et on va le prouver !
MENU
PLAT DU JOUR

Mangez tranquillement ! Tout le monde la surveille, votre mallette !

(179-3)

Ni vu,
ni connu !

C'était rien du tout de la voler !
Heureusement qu'on est là !

Je la range dans le lavabo !
Non ! Y a la boîte de chimie !

Sous le lit !
C'est archibourré !

Dans le garage, avec les chaussettes !
Parfait !

179-4

La mallette au trésor

179-5

Un peu plus tard...
Bon, il faut que je file !

Ma... ma... ma... ma mallette !!!
Oh, non ! Pas possible !

C'est un scanda-a-a-a-le !
Que personne ne bouge ! Où est-elle ?

Moi, je sais !
Non, c'est moi qui sais !
Je sais !

Je vais la chercher !
Non, c'est moi !
C'est moi !
Vous voyez, tout s'arrange !

179-6

C'est affreux!
Elle a disparu!
Aaah! Je suis ruiné, fichu, bousillé!!!
BOUM!

Vite! Amenez des compresses! De la glace! De l'eau! De l'air!

Aaah! Au secours! Je meurs!
Ma parole, c'est une épidémie!!

Poussin! Mon toutou chéri! Il a disparu!

On s'en fiche de votre sale bestiole!
Monstre! Vous ne pensez qu'à vous!

Moi, madame, ma mallette, c'est ma vie!
Et moi, mon chien... C'est mon chien!

Votre chien, c'est une vache!
Votre mallette, c'est de la crotte de vache!

Hé! Regardez! Un miracle!

179-8

Ma mallette !
Ça alors !!
Poussin !
Ouf !

Incroyable, ce chien ! Il furète partout !
S'il vous plaît ! Montrez-nous ce qu'il y a là-dedans !

Ce sont mes dernières créations pour la maison "Rigolo et fils" !
Ah ?!

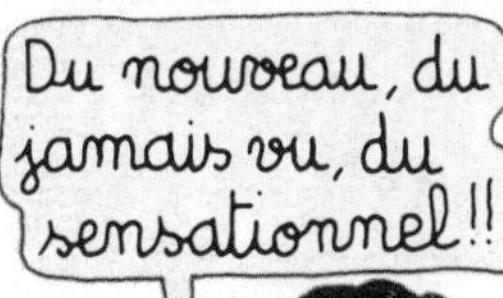
Du nouveau, du jamais vu, du sensationnel !!...

CLIC !

Une gamme de farces et attrapes pour les chiens !
Beurk !

Le gigot gigoteur, la saucisse sauteuse, la baballe baveuse...

Ça, un trésor ?
Nul !
Débile !
Toc ! Toc !
Génial, monsieur Rechignou !
Nous vous aimons, Poussin et moi !
Non !
Pitié !
FIN

Vite fait, bien fait

Vite fait, bien fait

185.2

Vite fait, bien fait

195-3

Vite fait, bien fait

195-4

Vite fait, bien fait

En plus, elle sait tout faire !...

Le boeing qui décolle !
VROOOM !

La cocotte-minute qui siffle !
PFOUiiiiT !

Encore !

L'ange !
Piou !
Piou !
Piou !

La tigresse...
ROOOOARH !
BOUM !

Une Nana comme ça, y en a pas trois !

Stoooop ! C'est parfait !
Ouf ! Je suis K.O. !

193-5

Vite fait, bien fait

193-6

Vite fait, bien fait

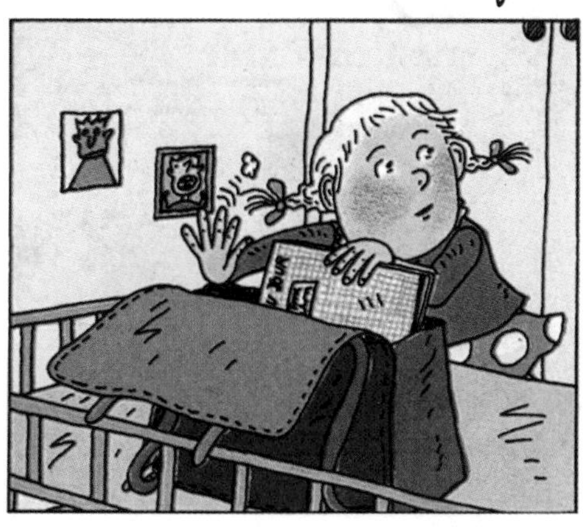

(195.7)

Vite fait, bien fait

195-8

Vite fait, bien fait

A tout à l'heure, mon grand frère adoré !

Tu as fait ton devoir, toi, Tom-Tom ?
Bien sûr !

Nous, on n'avait pas d'idée !
J'ai écrit 3 lignes sur mon chat... Nul !!
Moi, j'ai fait un truc gé-nial !
Hyper comique !
Fais voir !
Je pourrai copier ?

Vite fait, bien fait

Le poison rouge

Il est super mignon mon Hercule!

Allez, fais voir!
Non, non, non!
Menu du jour

Oh! Il me dit des choses avec sa petite queue!

Montre ou je le flanque à la poubelle!
NOOOON!
PING!

Au secours! A l'assassin!

Le poison rouge

Le poison rouge

J'y arrive pas!
Oh, là, là! Nana va être furieuse!
Son poisson!...

Ra... rassurez-vous, il est vivant... Je... je le sens nager!

Alors vomis! Fais un effort!
PAF!
PAF!
BONG!
Hurck! Hurck!

Tant pis! On en achètera un autre!
Ouf!
Pour moi aussi?

J'ai entendu du bruit, qu'est-ce qui se passe?
Rien de grave! Rien du tout...

Le poison rouge

C'est Adrien qui a avalé... Hi! Hi!

Quoi? Son dentier?

Non!... Un poisson rouge!

Un poisson rouge!!! Mais c'est très grave!
Bah! Il était tout petit, je crois... Comme un asticot!

Petit? Ce sont les plus toxiques!

Je l'ai lu dans le journal, on peut en mourir!

Aaaah !! Je me sens maal !!
Par pitié ! Recrache, Adrien !
On va t'aider, papounet !

Mettez-vous la tête en bas, monsieur Dubouchon !

Les jambes en l'air !

Oh ! Non !
PLOUF !

Courage ! On recommence !
Allez, vas-y !

Oooh ! C'est lourd !
Bravo !
Dépêche-toi, papou !

Poisson, petit poisson...
...Tu viens petit poisson !
Aaargh ! Aaargh !

Misère ! Il étouffe !

Je vais appeler SOS Doc-doc !
Papounet chéri !
Mmm... Ffff...

Le poison rouge

C'est ton poisson... Il a presque tué papa!
Mais... c'est pas possible...

Y avait pas de poisson dans mon verre!... C'était juste une blague!!!
HEIN?!?
FIN

La frite qui pique

La frite qui pique

La frite qui pique

La frite qui pique

La frite qui pique

DRRi...
J'avale tout, même le fil!
Tout?!
Aïe! Ça va mal tourner...
DRIIIIIN...
Elle prend feu!
Misère!

DRiiiiiiN.....
Je suis sûr qu'elle a explosé!!
On regarde?

CONCIERGE
Dépêchez-vous, voyons! Ça a sonné!!
?!?

CONCIERGE
Ça a raté!
T'en fais pas! Elle les mangera tout à l'heure!

La frite qui pique

La frite qui pique

Au secours! Je meurs!
quelle blague idiote! Je brûle!
1er avril

Euh... C'est pas moi! C'est Tom-Tom!...
Warf!
1er avril

Pfunie!... Pfuni!!

La frite qui pique

Danger, rigolade !

J'ai déjà une idée à crever de rire !
Moi aussi !
La mienne est mieux !
Minute !

C'est moi qui décide !
RIGOLO EN CHEF

Je vous fais passer un test...
???
...pour éliminer les pas rigolos !
C'est pas juste !

C'est toujours toi, le chef !
Y en a marre des crâneurs !
Commandant à la gomme !
Du calme !

Écoutez plutôt mon numéro !

Je vais raconter une super blague !
C'est quoi ?

Rien que d'y penser, je... Hi hi hi !
Vas-y ! Dis-la !

Vous allez faire pipi dans la culotte... Hi hi hi !

Alors, tu accouches ?
Hi hi hi hi hi !

Hi hi hi hi hi hi hi hi hi hi hi hi hi hi hi hi !
SILENCE !

Bon, j'y vais ! C'est Toto qui...
Oh non !!

?!?
On la connaît depuis cent ans !

C'est moi qui te l'ai racontée d'abord...
Même pas vrai !

Rémi : é-li-mi-né !
RIGOLO EN CHEF

Bande de nases !
À qui le tour ?
À moi !!

Ma culotte, ma culotte, elle danse la fessicote !
Nul !

Ta culotte, on la connaît par coeur !
Elle est moche !
Et elle a un trou !

Fatiah : é-li-mi-née !
M'en fiche ! Je joue plus !

Au tour de Sophie !

Euh... j'ai un truc génial... mais pas trop poli !
Allez, pas de chichi !

Vous le direz pas à mes parents, hein ?
Mais non !
Promis !

Avec des nullités comme vous, on n'arrivera à rien!

Attends! Tu m'as pas vue!

Mon chapeau de clown !

Ma machine à chatouilles !

Guili - guili !

Mon matériel à insultes !

Espèce de... courgette !

Salut, les saucisses !!
Lamentable !
Nul de chez Nul !
Nana : plus qu'éliminée, je-tée de-hors !
RIGOLO EN CHEF

Toi, y en a marre !
C'est vrai, ça !
À mort le chef !!
PIF !
PAF !

Bon, bon... On se calme !

On reprend tout à zéro, d'accord ?
D'accord !

Pendant ce temps...
?!?
Où sont passés les enfants ?!
Ils n'ont même pas fait leurs devoirs !!

Voilà à quoi ils jouent...
Par issi la rigolade

... au lieu d'apprendre l'orthographe !!
Spectakle grattuit

Ça va chauffer !
Super Fesstival du rire

?
Fesstival du rire
Tu veux des tomates ?
Toi, ferme ta poubelle !
1er avril Rigollade obligatoir ! Veuné vous bidoner

?

Hi hi hi hi hi hi hi hi hi Hiiii!
1er avril Rigollade obligatoir! Veuné vous bidoner
Vous trouvez ça drôle ?!
Ouii-in-in-in!
Bouh-ouh!
Le rire qui tue!
FIN
Sniff! Sniff!
Sniff!

COMMENT UTILISER LES TATOUAGES

1. Enlever la feuille de protection et appliquer la partie adhésive sur la peau sèche.
2. Mouiller la face arrière du tatouage avec une éponge ou un coton humides pendant 30 secondes.
3. Tirer doucement sur la feuille collée à la peau pour la détacher.
4. Essuyer avec un chiffon sans frotter. Ne pas toucher le tatouage pendant 1 heure environ.

Garder le film transparent sur le tatouage tant que vous ne l'utilisez pas.

Encre non toxique.

ATTENTION : ce jouet ne convient pas à des enfants de moins de 3 ans, du fait de petits éléments pouvant être inhalés ou ingérés. Si une irritation de la peau apparaissait, retirer immédiatement le tatouage. Ne pas appliquer le tatouage sur une zone proche des yeux ou des muqueuses. Le retirer avec un coton enduit d'huile de soin pour enfants.

COMMENT UTILISER LES TATOUAGES

1. Enlever la feuille de protection et appliquer la partie adhésive sur la peau sèche.
2. Mouiller la face arrière du tatouage avec une éponge ou un coton humides pendant 30 secondes.
3. Tirer doucement sur la feuille collée à la peau pour la détacher.
4. Essuyer avec un chiffon sans frotter. Ne pas toucher le tatouage pendant 1 heure environ.

Garder le film transparent sur le tatouage tant que vous ne l'utilisez pas.

Encre non toxique.

ATTENTION : ce jouet ne convient pas à des enfants de moins de 3 ans, du fait de petits éléments pouvant être inhalés ou ingérés. Si une irritation de la peau apparaissait, retirer immédiatement le tatouage. Ne pas appliquer le tatouage sur une zone proche des yeux ou des muqueuses. Le retirer avec un coton enduit d'huile de soin pour enfants.

COMMENT UTILISER LES TATOUAGES

1. Enlever la feuille de protection et appliquer la partie adhésive sur la peau sèche.
2. Mouiller la face arrière du tatouage avec une éponge ou un coton humides pendant 30 secondes.
3. Tirer doucement sur la feuille collée à la peau pour la détacher.
4. Essuyer avec un chiffon sans frotter. Ne pas toucher le tatouage pendant 1 heure environ.

Garder le film transparent sur le tatouage tant que vous ne l'utilisez pas.

Encre non toxique.

ATTENTION : ce jouet ne convient pas à des enfants de moins de 3 ans, du fait de petits éléments pouvant être inhalés ou ingérés. Si une irritation de la peau apparaissait, retirer immédiatement le tatouage. Ne pas appliquer le tatouage sur une zone proche des yeux ou des muqueuses. Le retirer avec un coton enduit d'huile de soin pour enfants.

COMMENT UTILISER LES TATOUAGES

1. Enlever la feuille de protection et appliquer la partie adhésive sur la peau sèche.
2. Mouiller la face arrière du tatouage avec une éponge ou un coton humides pendant 30 secondes.
3. Tirer doucement sur la feuille collée à la peau pour la détacher.
4. Essuyer avec un chiffon sans frotter. Ne pas toucher le tatouage pendant 1 heure environ.

Garder le film transparent sur le tatouage tant que vous ne l'utilisez pas.

Encre non toxique.

ATTENTION : ce jouet ne convient pas à des enfants de moins de 3 ans, du fait de petits éléments pouvant être inhalés ou ingérés. Si une irritation de la peau apparaissait, retirer immédiatement le tatouage. Ne pas appliquer le tatouage sur une zone proche des yeux ou des muqueuses. Le retirer avec un coton enduit d'huile de soin pour enfants.

Made in Italy by EUROPRINTING SPA – Via Mascagni 12 – 20080 Casarile (MI)
DECALCOMANIE cod. DF002977/1 TTNN MEGA-FARCES ET MINI_GAFFES

Un petit nuage se promène avec sa maman dans le ciel Tout à coup, il s'arrête et dit en se tortillant: -J'ai envie de faire pluie-pluie, maman!
Qu'est-ce qui est rouge et qui tourne, qui tourne, qui tourne ? Une tomate dans une machine à laver.
Un garçon, en classe verte, écrit à sa mère : « Chère maman, tu as oublié de mettre mon nom sur mes T-shirts et maintenant tout le monde m'appelle 100 % coton ! »
Comment fait-on sortir un lapin de son terrier? En imitant le cri de la carotte.
J'ai 7 bras, 5 têtes, 11 jambes, 3 yeux et des oreilles partout: Qui suis-je? Un menteur!

Les épisodes de cette compilation sont parus dans
la collection Tom Tom et Nana : 34 tomes chez Bayard BD Poche.
Les scénarios ont été créés par Jacqueline Cohen et Evelyne Reberg,
à l'exception d'*Un joyeux dimanche,* écrit par Jacqueline Cohen avec Rodolphe.
Les dessins sont de Bernadette Després sauf *Danger rigolade !*
et *Bonne Pêche,* dessinés par Bernadette Després, avec Marylise Morel.

Isbn : 978-2-7470-3675-7
Dépôt légal : avril 2011

Imprimé en Italie
Tom-Tom et Nana sont des héros *J'aime Lire*